À la famille et aux amis des jeunes lecteurs :

L'apprentissage de la lecture est une étape cruciale dans la vie de votre enfant. Apprendre à lire est difficile, mais la série *Je peux lire!* est conçue pour rendre cette étape plus facile.

Tout comme l'apprentissage d'un sport ou d'un instrument de musique, la lecture requiert d'exercer souvent ses capacités. Mais pour soutenir l'intérêt et la motivation de l'enfant, il faut le faire participer au sport ou lui faire découvrir l'expérience de la « vraie » musique. La série *Je peux lire!* est conçue de manière à fournir le niveau de lecture approprié et propose des histoires intéressantes qui rendent la lecture stimulante.

Quelques conseils :

- La lecture commence avec l'alphabet et, au tout début, vous devriez aider votre enfant à reconnaître les sons des lettres dans les mots et les sons que font les mots. Avec les lecteurs plus expérimentés, mettez l'accent sur la manière dont les mots sont épelés. Faites-en un jeu!

- Ne vous arrêtez pas au livre. Parlez avec l'enfant de l'histoire, comparez-la à d'autres histoires et demandez-lui pourquoi elle lui a plu.

- Vérifiez si votre enfant a bien compris l'histoire. Demandez-lui de la raconter ou posez-lui des questions sur l'histoire.

C'est aussi l'âge où l'enfant apprend à monter à bicyclette. Au début, pour faciliter les choses, vous posez des roues stabilisatrices et vous tenez la selle pour le guider. De même, la série *Je peux lire!* peut être utilisée comme outil pour vous aider à guider votre enfant et à en faire un lecteur compétent.

Francie Alexander,
spécialiste en lecture
Groupe des publications
éducatives de Scholastic

D0277461

Pour Martha et son pommier
— J. Marzollo

Pour Dale, mon ami, né le même jour que moi
— J. Moffatt

Catalogage avant publication
de la Bibliothèque nationale du Canada

Marzollo, Jean
Moi, la pomme / Jean Marzollo; illustrations de Judith
Moffatt; texte français de Claudine Azoulay.

(Je peux lire!. Niveau 1. Sciences)
Traduction de : I am an apple.
Pour enfants de 3 à 6 ans.
ISBN-13 978-0-439-96237-7
ISBN-10 0-439-96237-4

1. Pomme--Ouvrages pour la jeunesse. 2. Pomme--
Cycles biologiques--Ouvrages pour la jeunesse. I. Moffatt,
Judith II. Titre. III. Collection.

SB363.M3514 2004   j634'.11   C2004-902763-8

Édition publiée par les Éditions Scholastic,
604, rue King Ouest, Toronto (Ontario) M5V 1E1.

6 5 4 3 2   Imprimé au Canada   07 08 09 10 11

Moi! la pomme

Jean Marzollo
Illustrations de Judith Moffatt
Texte français de Claudine Azoulay

Je peux lire! Sciences – Niveau 1

Éditions

Je suis un bourgeon rouge.
Je vis sur la branche
d'un pommier.

La pluie me fait grossir,

et le soleil aussi.

Je m'ouvre lentement.

Je suis une fleur.

J'ai cinq pétales.
Je suis belle.

Après

quelque temps,

mes pétales

tombent.

Je suis une petite pomme
au bout d'une tige.
La tige me fournit de l'eau
et de la nourriture.

Je grossis

et grossis
encore.

Mon arbre est
plein de pommes.

Au début, nous étions vertes.
Maintenant, nous devenons
rouges, de plus en plus rouges.

Voilà, on peut
nous cueillir!

On nous place
dans de grands
paniers.
Puis on nous transporte
au marché en camion.

Les pommes sont de formes
et de couleurs différentes.

Certaines sont sucrées;
d'autres sont acides.

Avec des pommes,
on fait de la compote.
Qu'est-ce qu'on fait d'autre
avec des pommes?

Dans chaque pomme,
les pépins forment une étoile.
L'étoile a cinq parties,
comme la fleur.

Si tu plantes des pépins de pomme, qu'est-ce que tu obtiendras?

Des pommiers!

C'était ma vie
à moi, la pomme.

une fleur
de pommier

une pomme

un bourgeon

un pépin

un arbre

Peux-tu la raconter?